我就要！

〔德〕曼弗雷德·迈 著
〔德〕克里斯蒂娜·格奥尔格 图
朱显亮 译

图书在版编目（CIP）数据

我就要！／（德）曼弗雷德·迈著；朱显明译. —长春：吉林摄影
出版社，2008.5
（小狐狸童书绘本）
ISBN 978-7-80757-124-7

Ⅰ.我⋯ Ⅱ.①曼⋯②朱⋯ Ⅲ.品德教育-儿童读物
Ⅳ.G611

中国版本图书馆CIP数据核字(2008)第048850号

吉林省版权局著作权合同登记
图字：07-2008-1819号
中文简体版授权吉林摄影出版社出版
独家引进 侵权必究
Title of the original German edition:
Author: Manfred Mai
Illustrator: Christine Georg
Ich will!,sagt der kleine Fuchs
©2001 by Ravensburger Buchverlag Otto Maier GmbH,Ravensburg(Germany)

设计制作：博识晴天
选题策划：孙洪军
责任编辑：海 曦

我就要！ 小狐狸童书绘本

出版发行/吉林摄影出版社
出 版 人/孙 洪 军
地 址/长春市人民大街4646号
邮 编/130021
销售电话/(0431)85638384 85651227
印 刷/北京蓝图印刷有限公司
版 次/2010年7月第2版 第1次印刷
开 本/889×1194毫米 1/16
印 张/2
书 号/ISBN 978-7-80757-124-7
定 价/13.00元

如有印装问题请与印刷厂联系

送给孩子的第一套情商教育绘本

　　情商又称为"情绪智力"，它不是与生俱来的，而是在后天经过学习养成的。情商分为五方面内容：了解自己情绪的能力、管理自己的情绪、自我激励、了解他人情绪的能力和维系融洽的人际关系。哈佛大学的心理专家戈尔曼教授认为：情商决定命运，情商真正与一个人的未来成就及幸福密切相关，在一个人的成功因素中占80%。

　　孩子是父母的希望和寄托，在成长过程中，孩子会出现许多情绪上的困扰，比如：不能正确的认识自己、脾气暴躁、心情低落、人际交往能力差等。我们所推出的"送给孩子的第一套情商教育绘本"分为六本，专为孩子量身打造，以一只调皮可爱的小狐狸为主人公，通过它的一言一行达到潜移默化的教育目的，解决孩子遇到的困惑和疑虑。

　　我不给你：消除自私与贪婪，懂得分享和表达友善，成为人人夸奖的好小子！

　　我就不干：勇于承认自己的错误，承担不可推卸的责任，成为一个懂事的小大人！

　　我要揍你：消除暴躁情绪，和周围的朋友和谐相处，成为人人喜欢的小明星！

　　请，谢谢：改变懒惰与自我的坏习惯，主动与别人沟通交流，成为讲文明、懂礼貌的乖宝宝！

　　我不和你玩：走出自己狭小的交际圈，结交更多的好朋友，成为大家喜爱的开心果！

　　我就要：做事讲究方式与方法，尊重他人也能赢得他人的尊重，成为大家赞赏的小绅士！

　　每一本书都会解决孩子普遍存在的一个问题，培养孩子健全的人格和良好的情商。本套书是众多儿童教育专家倾力推荐的优秀情商教育读本，是送给孩子童年最好的礼物。

　　希望本套书会给您和您的孩子带来意想不到的收获，让您的孩子离成功的大门更进一步。

家庭教育专家
LT智能教育法创研人　　陈大为

小狐狸狼吞虎咽地啃完红烧鸡腿，
又撅着嘴巴把盘子仔仔细细舔了一遍。
"鸡腿好吃么？"妈妈问。
"还行。"它打着饱嗝，懒洋洋地说了一句。
"我渴了。"小狐狸说。
"要喝水吗？"
"要，我现在就要喝。"小狐狸说。
家里没水了，爸爸只好到河边去打了一桶水，
小狐狸喝完水后，就躺在暖烘烘的草地上
舒舒服服地开始晒太阳。

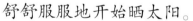

午后的阳光真是强烈极了。
爸爸用尾巴遮住刺眼的阳光，保护小狐狸不被灼伤。
"这样是不是舒服一点了？"爸爸关心地问。
"是啊！"小狐狸昏昏欲睡。
"那是因为你躺在了尾巴的影子下。"爸爸说道。
"躺在这里真舒服！"小狐狸渐渐进入了梦乡。

睡了一会儿，小狐狸醒过来了，
"我要骑在爸爸的肩膀上，一圈圈地跑着玩。"
爸爸叹了口气，虽然很累，但它不愿扫了儿子的兴，
还是答应了，
把他举起来放在了自己的肩膀上……

第二天，爸爸妈妈要到河对岸的邻居家做客，
河水太凉，小狐狸不愿趟水，所以没有去。
它一个人在家，很快就不耐烦了。
"我要去找朋友，直到爸爸、妈妈回来。"它想。
于是它离开了家，去找别人一块儿玩。

刚出门，它就遇到了一只小老鼠。
小老鼠正在一块石头上慢条斯理地梳理自己的毛发。
"嗨，你！"小狐狸说，
"停一停，别弄了！我要跟你玩！"
小老鼠朝它又吐舌头，又做鬼脸，
趁它不注意，
"嗖"从石头上跳下去，钻进洞里就不见了。

小狐狸嗅了嗅洞口，气急败坏地说：
"怎么回事？你给我马上出来！"
"我就不！"小老鼠伸出小脑袋，吱吱地叫着，得意极了！
"那你等着，看我抓住你再说！"小狐狸威胁它说。

走着走着，小狐狸又看见了一只小乌鸦。

小乌鸦正在用嘴巴啄一只小虫。

"嗨，你！"小狐狸说，"放下小虫子！我要跟你玩！"

小乌鸦丢下了小虫子，却飞到更高的树杈上去了。

小狐狸抱着树干就想往上跳，但它怎么也够不着小乌鸦。

"你马上给我下来，我要跟你玩！"

小乌鸦撇撇嘴，抬了抬尾巴，

一团黑乎乎的东西将小狐狸砸了个正着。

"呸，真见鬼！"小狐狸叫道。

它把乌鸦屎从鼻子上弄下来，赶紧跑开了。

小狐狸来到灌木丛，发现小刺猬正舒舒服服地躺在窝里睡觉。
小狐狸冲它喊道："嗨，你！快起来！我要跟你玩！"
小刺猬吓得马上蜷缩成一团。

"你没听见吗？我要跟你玩。"
小狐狸一边喊，一边向小刺猬踢去。
只听小狐狸"哎哟"一声，
它的脚上扎满了刺，急忙一瘸一拐地跑开了。

"你们太欺负人了！"小狐狸在森林里大声喊道，
"你们不跟我玩，我自己玩！"
小狐狸捡起一个松球，把它扔得好高好高，
等它掉下来，再把它扔上去，如此反复，
玩了一会儿，小狐狸就厌烦了，慢腾腾地继续往前走，
躺在一条凳子下面睡着了。

迷迷糊糊地，小狐狸听到说话的声音。
它抬起头，站起身，原来不远处，
一只小松鼠在请一只小兔子吃胡萝卜。

兔子很高兴，愉快地接过胡萝卜，
"咔嚓咔嚓"吃起来，
然后，它们开心地玩起了捉迷藏。

小狐狸看到后，它忽然有了一个好主意。
什么好主意呢？
它飞快地跑出森林，来到一片菜地，
从地里拔了一个特别大、特别漂亮的胡萝卜。

小狐狸特意找到小兔子，把胡萝卜递给它，
说："现在你必须跟我玩。"
"为什么？"小兔子不以为然。
"因为我给你胡萝卜吃了。"
小兔子用手推开小狐狸递过来的胡萝卜，说：
"谁想和你玩，你还是去找别人玩吧！"
说着，小兔子蹦蹦跳跳地跑开了。
小狐狸不明白小兔子为什么不和它玩，
自己还专门为它拔了一个漂亮的大萝卜呢，
但小兔子仍然不理他。

小狐狸不知道该怎么办才好，
它低着头走在回家的路上。
忽然，有个小皮球滚到了它的脚下。

"把球踢过来!"一只小熊说。

小狐狸没多想,抬脚就把皮球踢了过去。

皮球踢得很高很高,小熊高兴地用双手把球接住。

"我们一起玩吧。"

说着,小熊又把球传给了小狐狸。

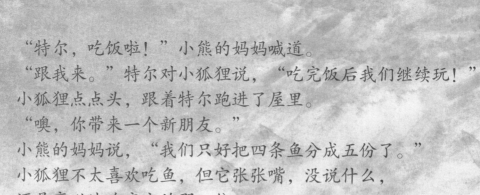

"特尔，吃饭啦！"小熊的妈妈喊道。
"跟我来。"特尔对小狐狸说，"吃完饭后我们继续玩！"
小狐狸点点头，跟着特尔跑进了屋里。
"噢，你带来一个新朋友。"
小熊的妈妈说，"我们只好把四条鱼分成五份了。"
小狐狸不太喜欢吃鱼，但它张张嘴，没说什么，
还是高兴地吃完它的那一份。

吃完饭后，小熊带着小狐狸来到自己的百宝箱旁。
它要向小狐狸展示自己的宝贝：
一只带银搭扣的鞋，一块发光的石头，
一个铁盒子和两根非常美丽的羽毛。
"你是怎么弄到这些东西的？"小狐狸有点嫉妒地问道。
"嘘！"特尔示意小狐狸小点声，
然后凑近小狐狸的耳朵小声说："别让我妹妹听见了，
否则，它会把所有的东西都拿去的。"
说着，它拿起两根羽毛，带着小狐狸悄悄出了家门儿。

　　"这根羽毛送给你。"特尔说，
它把羽毛插在了小狐狸的头上。
　　"谢谢你。"小狐狸说，
然后帮小熊把另一根羽毛插在了它的头上。
　　"你看，我们两个多好啊，"特尔说，
"那么我们现在玩什么呢，去找我的小竹筏怎么样？"

"玩什么都行。"小狐狸愉快地回答道。

风靡全球的

儿童情商教育绘本

本书特点

◉ 风靡全球的以培养孩子的情商为重点的绘本，解决孩子在成长过程中遇到的诸多问题。让孩子不断地调整自己，学会分享和友爱，懂得礼貌待人，结交新的朋友，变得开朗、乐观。

◉ 本书以故事为主体，天真的语言，优美的文字，配以精美的图画。故事中的主人公小狐狸调皮可爱，更是吸引孩子们阅读兴趣的法宝。

◉ 本套书非常适合父母与孩子亲子共读，用故事中主人公的言行举止去教育孩子，不仅仅让孩子受益匪浅，家长也可以从中反省自身。

如何进行亲子共读？

★ 父母与孩子一起阅读。父母可以朗读故事给孩子听，语气要尽量委婉和谐。当故事中的主人公表现出乖巧、可爱、听话的时候，父母要用赞扬的语气；而当主人公调皮、生气时，父母则要表现出不高兴的样子。这样孩子很容易明辨是非。

★ 向孩子提问。故事讲完以后，父母要向孩子提问，比如："你觉得小狐狸这样做对吗？""如果是你，你该怎么做呢？"……还可以引申到日常生活中去，引导小朋友认识自己的缺点，不断改正。

"我要揍你！"小狐狸一旦不如意就会说这句话，它总是心情不好，并与其他伙伴生气。

小狐狸固执不想听话，还想着要与朋友一起建造树房子，它的愿望能实现吗？

小狐狸明明知道，要先说"请"和"谢谢"，但就是懒得说。其实，说这两个词并不难。

小狐狸不愿跟别人一起玩，但是后来，它结识了一个新朋友小獾……

"我就要嘛！"这是小狐狸向爸爸妈妈要东西时，常说的一句耍赖的话。

"我不给你！"小狐狸喊道，只要有人靠近它的玩具，它总是这样大喊大叫。